Collana di letture graduate per stranieri

diretta da
Maria Antonietta Covino Bisaccia
docente presso l'Università per Stranieri di Perugia

GIOVANNI BOCCACCIO

Frate Cipolla e la penna dell'arcangelo Gabriele

Novella tratta dal
DECAMERON

a cura di
Maria Antonietta Covino Bisaccia
Maria Rosaria Francomacaro

ISBN 88-7715-225-7

Disegni di *Giulia Zeetti*

In copertina:
Certaldo, il borgo antico, suggestivo per le costruzioni di rossi mat-
toni e per il ricordo di Giovanni Boccaccio.

Indice

Andrea del Castagno, *Ritratto di Giovanni Boccaccio* (1450-1460 ca.), Firenze,
Museo di S. Apollonia.

GIOVANNI BOCCACCIO

Giovanni Boccaccio nasce nell'estate del 1313 a Certaldo (o forse a Firenze) da Boccaccio di Chellino o Boccaccino, e da una donna di bassa condizione il cui nome non conosciamo.

Da ragazzo vive a Firenze con il padre, un mercante che lavora per la banca dei Bardi.

Nel 1328 il padre va a Napoli per lavoro e porta con sé anche il figlio. Qui Boccaccio comincia a lavorare come mercante. Ma questo lavoro non gli piace; ama molto di più, invece, la letteratura, e in particolare la poesia.

Il periodo napoletano diventa così il più felice della sua vita, ricco di interessi nuovi, di esperienze e di amori: nella chiesa di San Lorenzo a Napoli incontra Fiammetta, la donna amata di cui parlerà in molte delle sue opere.

La *Caccia di Diana,* le *Rime,* il *Filocolo,* il *Filostrato,* il *Teseida,* sono le opere che Boccaccio scrive durante il bel periodo napoletano.

Nel 1340 la banca dei Bardi chiude, e Boccaccio è costretto a tornare a Firenze, dove dal 1349 al 1351 lavora al *Decameron.* Questa è l'opera della piena maturità artistica dell'autore.

A Firenze incontra per la prima volta Francesco Petrarca; i due diventano amici e tra loro comincia un lungo e profondo rapporto. In seguito, lo stesso Petrarca impedirà al Boccaccio di distruggere il *Decameron*, quando l'autore, in piena crisi religiosa, sta per farlo.

La città di Firenze manda Boccaccio come ambasciatore in molte città italiane e durante questi viaggi il suo interesse principale rimane sempre la letteratura.

Alla fine, stanco e malato ritorna a vivere a Certaldo, dove rimane fino alla morte, avvenuta il 21 dicembre del 1375.

DECAMERON

Boccaccio scrive il *Decameron* tra il 1349 e il 1351 al ritorno da Napoli.

Il titolo viene dal greco e significa dieci giorni. Infatti l'opera raccoglie cento novelle raccontate da dieci giovani in un periodo di dieci giorni.

Questi giovani, sette ragazze e tre ragazzi, fuggono da Firenze a causa della peste del 1348 e si fermano per due settimane in una villa poco lontano dalla città. Per passare in maniera piacevole le giornate, i dieci giovani raccontano ogni giorno (ma non il venerdì e il sabato) una novella ciascuno su un argomento scelto dal re o dalla regina di quella giornata; solo il primo e il nono giorno sono liberi di scegliere l'argomento.

Boccaccio scrive questo libro per le donne che, nella società del suo tempo, passavano le giornate sempre in casa, solo in compagnia della loro famiglia, mentre gli uomini potevano uscire e avere tanti interessi e tante cose da fare.

L'opera presenta personaggi, ambienti e situazioni di tanti tipi diversi: l'amore cortese e l'amore fisico, l'intelligenza e la stupidità, la gioia e il dolore, la ricchezza e la povertà, la vita e la morte. Gli ambienti delle storie vanno dai giardini alle montagne, dalle case povere ai palazzi dei re, dalle città italiane a quelle dell'Oriente.

Nel *Decameron* il protagonista è l'uomo e il suo comportamento di fronte alle tre grandi forze che muovono il mondo: l'Amore, la Fortuna e l'Intelligenza.

Boccaccio scrive il *Decameron* nella lingua del '300, cioè l'italiano "volgare".

La versione qui proposta è, invece, in italiano contemporaneo.

Legenda:

Il trattino sotto alcune vocali vuole indicare la sillaba su cui cade l'accento tonico.
Di solito, però, in italiano l'accento tonico cade sulle penultima sillaba.

Frate Cipolla
e la penna dell'arcangelo Gabriele

La decima *novella* del sesto giorno racconta come *frate* Cipolla riesce ad *ingannare* la gente di *Certaldo* grazie alla sua *abilità* nel parlare e nel convincere gli altri di cose *incredibili*.

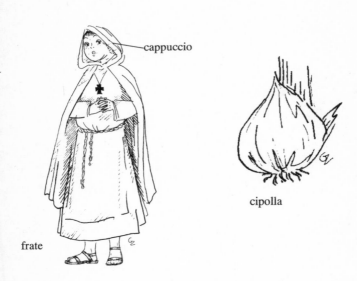

cappuccio

cipolla

frate

Certaldo, come voi forse sapete, è un piccolo paese della *Valdelsa*, nella campagna *toscana*, dove abita gente ricca e *nobile*.

novella breve storia
ingannare far credere una cosa che non è vera
Certaldo paese a pochi chilometri da Firenze, dove è nato Boccaccio (vedi cartina a p. 12)
abilità l'essere capace di fare qualcosa
incredibile che è difficile da credere
Valdelsa valle della Toscana dove scorre il fiume Elsa
toscana, della Toscana, regione del centro Italia in cui si trova Firenze
nobile come principe, duca, conte

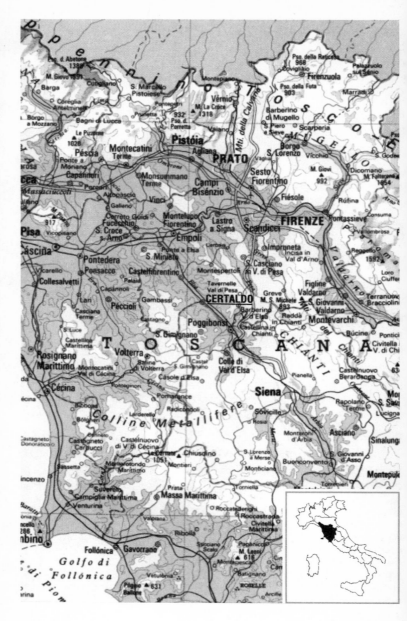

12

Ogni anno, nel mese di agosto, un frate dell'ordine di Sant'Antonio, di nome Cipolla, è solito andare a Certaldo per raccogliere *l'elemosina*. I *certaldesi* lo hanno sempre *accolto* con piacere, non tanto per la fede in Sant'Antonio, quanto soprattutto per il suo nome: infatti a Certaldo crescono le *cipolle* più buone di tutta la Toscana.

Certaldo

Frate Cipolla è un uomo basso, con i capelli rossi, sempre allegro e di buona compagnia. Non ha studiato ma sa parlare così bene che, chi non lo conosce, potrebbe prenderlo per lo stesso *Cicerone* o *Quintiliano*.

Inoltre, è buon amico o *protettore* di quasi tutte le persone di Certaldo.

Così una domenica mattina, quando tutti i certaldesi sono in chiesa per la *messa*, al momento giusto frate Cipolla si fa avanti e comincia a parlare:

"Signori e signore, come voi ben sapete, ogni anno siete soliti mandare un po' del vostro *raccolto*, chi più chi meno, secondo la vostra fede e le vostre possibilità,

elemosina carità, offerta
certaldese chi è di Certaldo
accogliere dare il benvenuto a qualcuno con molto piacere
cipolla vedi illustrazione a p. 11
Cicerone e Quintiliano scrittori latini
protettore chi difende qualcuno
messa funzione religiosa
raccolto tutti i prodotti raccolti nei campi

asino maiale pecora bue

ai poveri di Sant'Antonio, che difende i vostri *buoi, asini, maiali e pecore* da ogni male. Oltre a questo, sempre una volta all'anno, specialmente quelli che sostengono il nostro ordine, sono soliti fare una piccola offerta. Anche quest'anno l'*abate* mi ha mandato a raccogliere queste offerte. Perciò verso le tre del pomeriggio, quando sentirete la *campana*, verrete davanti alla chiesa, dove prima farò la *predica* e poi vi farò baciare la *croce*. Inoltre,

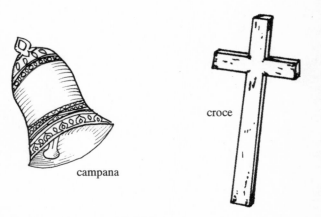

campana croce

abate frate che è a capo di un gruppo di frati
predica discorso fatto in chiesa durante la messa

14

penna

arcangelo

poiché so che amate molto Sant'Antonio, vi mostrerò una santa e bella *reliquia* che io stesso ho portato dalla Terra Santa: una *penna* dell'*arcangelo* Gabriele, trovata nella stanza della Vergine Maria a Nazaret."

Quando finisce di parlare, riprende a *celebrare* la messa.

In chiesa sono presenti, tra gli altri, anche due giovani molto *furbi*, Giovanni del Bragoniera e Biagio Pizzini. Ridono molto del *racconto* di frate Cipolla e per questo, anche se sono suoi buoni amici, decidono di fargli uno *scherzo*.

reliquia parte del corpo o oggetto che apparteneva a un santo
celebrare qui, dire la messa
furbo chi risolve i problemi con intelligenza e astuzia
racconto storia
fare uno scherzo fare un'azione per ridere di qualcuno

Poiché sanno che frate Cipolla quel giorno *pranzerà* casa di un suo amico, pensano di andare all'albergo dove il frate e il suo servo hanno preso una camera, mentre uno di loro, Biagio, tiene occupato il servo, l'altro cerca la penna dell'arcangelo tra gli oggetti del frate, e la porta via.

I due giovani vogliono proprio vedere cosa farà e cosa dirà il frate alla gente quando non troverà più la penna che ha *promesso* di mostrare.

Il servo, che alcuni chiamavano Guccio *Balena*, altri Guccio *Imbratta* e altri ancora Guccio *Porco*, era così brutto che neppure il *pittore* Lippo Topo aveva mai fatto un personaggio simile.

pittore

Il frate era solito prendersi gioco di lui e dire:

. "Il mio servo ha nove *qualità*, ma nessuna di queste si trova in grandi personaggi come *Salomone, Aristotele o Seneca*. Immaginate, perciò, che tipo di uomo lui è: infatti non ha né *virtù*, né intelligenza, né *santità* ma nove brutti *difetti*."

pranzare mangiare all'ora del pranzo (circa le 13)
promettere dire di fare o dare qualcosa a qualcuno nel futuro
Balena, Imbratta, Porco nomi dati per indicare l'aspetto e il carattere di Guccio, che è molto grasso e sporco
qualità aspetto del carattere di una persona
Salomone re famoso e saggio della Bibbia
Aristotele filosofo greco
Seneca scrittore e filosofo latino
virtù qualità positive come l'essere buono, onesto, saggio, ecc.
santità l'essere santo
difetto qui, aspetto negativo del carattere di una persona

E quando una volta una persona gli chiedeva quali erano questi difetti, il frate, che li aveva messi in *rima,* rispondeva:

"*È sporco, tardo e bugiardo; negligente, disubbidiente e maldicente; sbadato, smemorato e scostumato*; e preferisco non aggiungerne altri. La cosa che fa più ridere è che in ogni città dove va vuole prendere moglie e mettere su casa. Con la sua *barba* lunga, nera e *unta,* crede di essere molto bello e per questo pensa che tutte le donne, appena lo vedono, se ne *innamorano.* Lui, d'altra parte, è pronto a *corteggiarle* tutte.

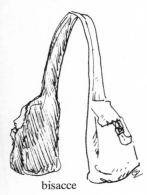

In verità, però, mi aiuta molto e quando qualcuno vuole dirmi un segreto, lui vuole sapere tutto. Inoltre, poiché ha paura di farmi trovare in difficoltà, quando qualcuno mi rivolge una domanda risponde al posto mio, nel modo più giusto secondo la sua opinione."

Frate Cipolla lo aveva lasciato a guardia delle sue cose e specialmente delle *bisacce,* che contenevano le sante reliquie.

bisacce

rima di solito le poesie sono in rima
sporco chi non si lava
tardo qui, chi non vuole lavorare, chi è lento
bugiardo chi non dice la verità
negligente chi non fa il proprio dovere
disubbidiente chi non ascolta e non fa le cose che altre persone gli ordinano di fare
maldicente chi parla male degli altri
sbadato chi fa le cose senza metterci attenzione
smemorato chi dimentica tutto
scostumato chi non conosce le buone maniere
barba vedi illustrazione a p. 18
unto sporco, pieno di olio
innamorarsi provare amore per qualcuno
corteggiare dimostrare interesse per una donna, fare la corte ad una donna

Nuta e Guccio

Ma Guccio Imbratta, che preferiva stare in cucina soprattutto se lì c'era una donna, lascia aperta la porta della stanza, dove sono le bisacce del frate, e va in cucina dove ha visto Nuta, una donna grassa, grossa, piccola e brutta, con due *seni* molto grandi. Anche se faceva caldo (infatti era agosto), Guccio Imbratta si siede accanto al fuoco e comincia a parlare con Nuta; le racconta di essere nobile, di possedere moltissimi *fiorini*, senza contare i *debiti*, che forse erano più numerosi, e di saper fare e dire molte più cose del suo padrone. Inoltre, le dice di volerle comprare dei bei vestiti nuovi, fatti per una gran signora, e le promette di liberarla da quel brutto lavoro che la costringe a servire gli altri.

Mentre dice queste cose non pensa per niente al fatto che il suo aspetto è veramente *sgradevole*: il suo *cappello* è unto; la *giacca* è rotta e sporca al collo e sotto le braccia; anche le *scarpe e le calze* sono rotte.

Quando i due giovani vedono che Guccio Porco è occupato a parlare con Nuta, sono felici perché capiscono che sarà ancora più facile fare lo scherzo a frate Cipolla.

Infatti entrano nella camera del frate e da una delle bisacce prendono una piccola *scatola*; la aprono e vi trovano una penna della *coda* di un *pappagallo*: era *sicuramente* quella la penna di cui parlava il frate.

carbone

scatola

coda

pappagallo

seno vedi illustrazione a p. 18
fiorino denaro che si usava a Firenze nel Medioevo
debito denaro o altro che una persona ci ha dato e che dobbiamo dare indietro
sgradevole che non piace, che non è bello
cappello, giacca, scarpa, calza vedi illustrazione a p. 18
sicuramente di sicuro

A quei tempi era facile ingannare la gente perché in Toscana non si conoscevano ancora le cose dell'Oriente e certamente a Certaldo nessuno aveva mai visto e neanche sentito parlare di pappagalli.

I due giovani, allora, tolgono la penna dalla scatola e, per non lasciarla vuota, vi mettono alcuni *carboni* che hanno trovato in un angolo della stanza; poi la chiudono, mettono tutto in ordine e vanno via con la penna.

Aspettano quindi di sentire cosa dirà frate Cipolla quando troverà i carboni al posto della penna.

Intanto, tutti in paese oramai sapevano della penna dell'arcangelo Gabriele e così, dopo pranzo, cominciano ad andare verso la chiesa per vedere la famosa reliquia.

Frate Cipolla dopo pranzo va a dormire un po' e verso le tre, poiché sente arrivare tanta gente, si alza e ordina al servo di portargli le reliquie.

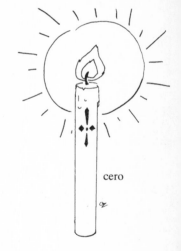

cero

Guccio Imbratta, quando arriva con gli oggetti *sacri*, si mette davanti alla porta della chiesa e comincia a suonare la campana.

Il frate aspetta finché tutta la gente arriva davanti alla chiesa e poi, senza accorgersi che qualcuno ha toccato e messo le mani nelle bisacce, comincia a *predicare*.

Alla fine della *predica* dice una *preghiera*, fa accendere due *ceri* grandi, si toglie il

carboni v. illustrazione p. 19
sacro qui, che appartiene ai Santi
predicare fare un discorso alle persone che stanno in chiesa durante le funzioni religiose
preghiera le parole per pregare

cappuccio e, con cura, prende la scatola e la mostra ai certaldesi. Poi dice un'altra preghiera in onore dell'arcangelo Gabriele e infine apre la scatola.

Quando vede che la scatola è piena di carboni, capisce che a fare quello scherzo non è stato il servo, perché è troppo *stupido*, ma *rimprovera* se stesso perché ha lasciato un uomo così disubbidiente a guardia delle sue cose. Tuttavia, senza mostrare neppure un po' di *stupore*, alza gli occhi e le mani al cielo e dice ad alta voce, per farsi sentire da tutti:

"O Dio, sei veramente grande!"

Poi richiude la scatola e dice alla gente:

"Signori e signore, dovete sapere che quando ero molto giovane, l'abate mi ha mandato in Oriente a cercare certi documenti che riguardavano l'ospedale *fiorentino* di Porcellana. Dunque, sono partito da *Vinegia*, sono arrivato al *Borgo dei Greci* e da qui, a càvallo, nel regno del *Garbo*. Poi, passato per *Baldacca*, sono arrivato a *Parione*, da dove con qualche difficoltà e dopo molto tempo ho raggiunto la *Sardigna*. Poi ho attraversato il *braccio di S. Giorgio* e sono arrivato a *Truffia* e *Buffia*, paesi abitati da molte persone e da gente molto importante.

Da lì sono andato nella terra di *Menzogna* dove abitano molti frati sia del nostro che di altri ordini religiosi. Tutti evitavano ogni *disagio* per amore di Dio, e pensavano solo ai propri interessi.

---

cappuccio vedi illustrazione a p. 11
stupido chi non capisce niente
rimproverare dire ad una persona che ha sbagliato qualcosa
stupore sorpresa, meraviglia
fiorentino di Firenze
Vinegia, Borgo dei Greci, Garbo, Baldacca, Parione, Sardigna, braccio di S. Giorgio: nomi che si riferiscono a vie di Firenze, mentre *Truffia* e *Buffia* (truffa e beffa) e *terra di Menzogna* (falsità, bugia) fanno comprendere in modo chiaro che frate Cipolla dice il falso e inganna i certaldesi
disagio pena, fatica

zoccolo

salsiccia

Quindi sono passato in *Abruzzo*, dove la gente usa gli z̲o̲ccoli per andare in montagna ed è s̲o̲lita mangiare *salsiccia* fatta con carne di mai̲a̲le; più avanti ho incontrato gente che *infilava* il pane a forma di *ciambella* nei *bastoni* e che riempiva gli *otri* di vino.

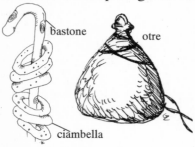

bastone

otre

ciàmbella

Alla fine sono giunto alle montagne dei Baschi dove l'acqua scende sempre verso il basso.

In breve, ho camminato tanto che sono arrivato fino in India Pastinaca dove, ve lo assicuro in nome del mio a̲b̲ito, ho visto *volare* addirittura gli *uccelli*; anche Maso del Saggio, un grande *mercante* che stava lì a r̲ompere le *noci* e a v̲e̲nderne i *gusci*, può affermare che io racconto la verità.

Poiché non riuscivo a trovare quello che cercavo, ho deciso di tornare indietro.

Durante il viaggio di ritorno sono arrivato in Terra Santa, una terra dove, in estate, il pane freddo *costa*

Abruzzo regione dell'Italia centrale
infilare mettere dentro
volare viaggiare, muoversi nell'aria (come gli uccelli, gli aerei, ecc.)
uccello vedi illustrazione a p. 23
mercante commerciante
noce, guscio vedi illustrazione a p. 23
costare avere un prezzo

uccello

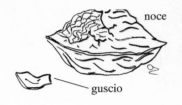
noce

guscio

quattro denari e quello caldo non costa niente. Qui ho incontrato Nonmiblasmete Sevoipiace, gran *patriarca* di Gerusalemme.

Per rispetto all'abito dell'ordine dei frati di Sant'Antonio che ho sempre portato, mi ha mostrato tutte le sante reliquie che aveva: erano così numerose che ci vorrebbe troppo tempo per parlare di tutte.

Vi parlerò solo di alcune: per prima cosa mi ha mostrato il dito dello Spirito Santo, poi i capelli e l'*unghia* di un *angelo*, una delle *costole* del *Verbum caro fatti alle finestre*, alcuni vestiti della Fede cattolica, molti *raggi* della stella apparsa ai Re Magi, un'*ampolla* con il *sudore* di S.Michele nella lotta con il *diavolo*, la *mascella* di S. Lazzaro, ed altre ancora. Poiché io, per mia libera volontà gli ho dato un libro in italiano *volgare* e parte di un

unghia

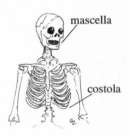
mascella

costola

patriarca capo delle chiese ortodosse
angelo vedi illustrazione a p. 15
Verbum caro fatti alle finestre forma non corretta della frase latina "Et Verbum caro factum est" ("e il Verbo si fece carne")
raggio, ampolla, diavolo vedi illustrazioni a p. 24
sudore vedi illustrazione a p. 18
volgare qui, l'italiano del Medioevo

raggio

diavolo

altro libro che lui cercava da molto tempo, il patriarca mi ha *regalato* alcune reliquie: un dente della santa Croce, un'ampolla con dentro il *suono* delle campane del *tempio* di re Salomone, la penna dell'arcangelo Gabriele, di cui vi ho già parlato, uno degli zoccoli di San Gherardo e, infine, alcuni carboni con cui hanno *bruciato* San Lorenzo *Martire*.

Io le ho portate tutte con me in Italia nel mio *convento*. Il mio abate non credeva giusto mostrare queste reliquie se prima non si era sicuri della loro *autenticità*.

ampolla

Dopo alcuni *miracoli,* e grazie alle lettere che ha ricevuto dal patriarca di Gerusalemme, si è convinto che si tratta di reliquie vere e mi ha permesso di mostrarle alla gente.

regalare qui, dare qualche cosa ad una persona senza prendere denaro
suono musica, rumore
tempio chiesa
bruciare qui, uccidere con il fuoco
martire persona uccisa a causa della sua fede cristiana
convento luogo in cui vivono i frati
autenticità verità, validità
miracolo fenomeno straordinario al di fuori delle normali leggi della natura

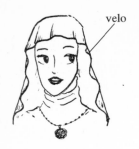 velo

 cappuccio

Le porto sempre con me e, in verità, conservo la penna dell'arcangelo Gabriele in una scatola uguale a quella in cui ho messo i carboni di San Lorenzo. Qualche volta mi capita di prenderne una al posto dell'altra. E' quanto è accaduto oggi: invece di portare la scatola con la penna, ho portato la scatola con i pezzi di carbone. Ma questo non è stato un errore: forse Dio ha voluto così perché, ora ricordo, fra due giorni è la *festa di San Lorenzo*, e vuole *riaccendere* in voi la fede per questo santo.

Perciò, cari *figliuoli*, toglietevi i *cappucci* e avvicinatevi per vedere i carboni. Vi avverto, inoltre, che chi riceverà sul proprio corpo il segno della croce fatto con questi carboni, può essere sicuro che per un anno non morirà bruciato senza prima accorgersene."

Dopo il discorso, frate Cipolla canta un canto a San Lorenzo, apre la scatola e mostra i carboni.

Tutta quella gente, stupida e *ignorante*, crede alle parole del frate e gli si avvicina per ricevere il segno di croce e per lasciare in offerta più denaro dell'anno *precedente*.

Frate Cipolla, con i carboni in mano, faceva grandi

---

festa di S. Lorenzo è il 10 agosto; la notte di S. Lorenzo è famosa per le stelle cadenti
riaccendere accendere di nuovo
figliuolo figlio
ignorante chi non sa, ignora, qualche cosa
precedente che viene prima

croci sulle loro camicie bianche, sulle giacche e sui *veli* delle donne e diceva:

"Vedete il miracolo ? Anche se io faccio tante croci, i carboni non diventano mai piccoli. Dopo li metterò di nuovo nella scatola e domani torneranno grandi come prima."

In questo modo, Frate Cipolla era riuscito a raccogliere molte offerte e, con intelligenza, aveva *stupito* quelli che volevano fargli uno scherzo.

Anche i due giovani erano tra la gente, e avevano riso molto nel vedere come il frate era riuscito a risolvere quella difficile situazione.

Aspettano che tutti i certaldesi si allontanano, e si avvicinano a frate Cipolla. Gli raccontano dello scherzo che gli avevano fatto e gli restituiscono la penna.

L'anno *seguente* quella stessa penna farà raccogliere al frate più denaro di quello raccolto con i carboni.

velo vedi illustrazione a p. 25
stupire far provare meraviglia, stupore, sorpresa a qualcuno
seguente che viene dopo

Esercizi

1. Vero / Falso

	V	F
1. Frate Cipolla va a Certaldo perché lì ci sono le cipolle più buone della Toscana.	❏	❏
2. Frate Cipolla non è un uomo alto.	❏	❏
3. Sant'Antonio aiuta e protegge gli animali dei contadini.	❏	❏
4. Il servo ha un brutto carattere.	❏	❏
5. Frate Cipolla chiede ai contadini di fare un'offerta.	❏	❏
6. Il servo rimane in camera a guardia dei bagagli del suo padrone.	❏	❏
7. E' difficile fare lo scherzo a frate Cipolla.	❏	❏
8. A Certaldo c'è un pappagallo.	❏	❏
9. Dopo la predica frate Cipolla accende i ceri.	❏	❏
10. Frate Cipolla racconta dei suoi viaggi da giovane.	❏	❏
11. Il frate compra molte reliquie in Terra Santa.	❏	❏
12. Domani è la festa di San Lorenzo.	❏	❏
13. Frate Cipolla scopre da solo chi sono le persone che gli hanno portato via la penna.	❏	❏

2. Cerca nel testo

1. Perché frate Cipolla va a Certaldo.

   _____

2. Come è frate Cipolla.

   _____

3. Cosa vogliono fare Giovanni del Bragoniera e Biagio Pizzini.

   _____

4. Perché il servo si allontana dalla camera.

   _____

5. Perché frate Cipolla è andato in Oriente.

   _____

6. Dove stanno tutte le reliquie.

   _____

7. Cosa deve fare la gente prima di avvicinarsi per vedere i carboni.

   _____

8. Qual è il miracolo di cui parla frate Cipolla.

   _____

3. Unisci le due frasi con un pronome relativo, come nell'esempio:

> Abbiamo invitato anche Maria
> Maria è l'amica di mio fratello.
> Abbiamo invitato anche Maria, *che/la quale* è l'amica di mio fratello.

1. La gente dà il denaro per i poveri di Sant'Antonio.
   Sant'Antonio aiuta e difende gli animali dei certaldesi.

   _____

   _____

2. Giovanni del Bragoniera e Biagio Pizzini sono due ragazzi.
   Loro vogliono fare uno scherzo a frate Cipolla.

   _____

   _____

3. Frate Cipolla viaggia con un servo.
   Il servo ha molti difetti.

   _____

   _____

4. Il servo non rimane a guardia delle bisacce.
   Nelle bisacce c'è la penna dell'arcangelo.

   _____

   _____

5. Guccio corteggia Nuta.
   Nuta è una donna grassa e brutta.

   _____

   _____

6. Frate Cipolla parla ai contadini.
   Ai contadini racconta il suo viaggio in Oriente.

   _____

   _____

7. Il patriarca gli mostra molte reliquie.
   Tra le reliquie c'è un dito dello Spirito Santo.

   _____

   _____

8. Frate Cipolla porta tutte le reliquie nel convento.
   Nel convento l'abate le controlla.

   _____

   _____

9. Il frate ha preso la scatola.
   Nella scatola ci sono i carboni.

   _____

   _____

4. Inserisci le preposizioni *in, a, da*

1. Frate Cipolla è andato _____ Oriente.

2. _____ India ha visto le persone volare.

3. Il suo viaggio è cominciato _____ Vinegia.

4. E' partito _____ Vinegia ed è arrivato _____ Borgo dei Greci.

5. Il Vesuvio è _____ Napoli, _____ Italia.

6. L'Autostrada del Sole va _____ Milano _____ Napoli.

7. _____ Toscana ci sono molte città d'arte.

8. Il gelato migliore l'ho mangiato _____ Sicilia.

9. Ieri sono andato _____ Roma _____ treno.

10. Sono andato _____ piedi _____ Piazza Italia _____ stazione.

5. Forma il contrario dei seguenti aggettivi, come nell'esempio:

ubbidiente	-	*disubbidiente*
fortunato	-	*sfortunato*

abituato, adatto, agevole, armato, armonico, attento, carico, chiuso, comodo, conosciuto, consigliato, contento, coperto, conveniente, corretto, cortese, cotto, cucito, fatto, garbato, gradevole, illuso, interessato, leale, onesto, ordinato, piacevole, popolato, uguale, vantaggioso.

DIS	S
disubbidiente	*sfortunato*

6. Dall'esercizio precedente scegli tre aggettivi per ogni gruppo e scrivi una frase con ciascuno

1. _____
   _____
   _____

2. _____
   _____
   _____

3. _____
   _____
   _____

4. _____
   _____
   _____

5. _____
   _____
   _____

6. _____
   _____
   _____

7. Davanti o avanti? Dietro o indietro?

1. Era così nervosa che non smetteva di camminare _____ e _____ .

2. L'ufficio postale è _____ alla biblioteca.

3. L'anno scorso mi aveva dato del denaro per comprare la macchina, ed ora gli ho dato _____ tutto.

4. Chi ha qualcosa da dire, si faccia _____ !

5. Sono rimasta _____ nel lavoro e non posso andare in vacanza.

6. Ti aspetto al bar _____ la stazione.

7. Al cinema ero seduta _____ ai miei amici.

8. Il mio orologio va _____ .

9. Olga cammina lentamente e perciò rimane sempre _____.

10. Il mio lavoro va _____ bene.

8. Riempi gli spazi vuoti

Frate Cipolla dopo pranzo va a _____ un po' e verso le tre, _____ sente arrivare tanta gente, si alza _____ ordina al servo di portare le _____ nella parte alta del paese. Guccio Imbratta, _____ arriva con gli oggetti sacri, si _____ davanti alla porta della chiesa e _____ a suonare la campana. Il frate _____ finché tutta la gente arriva davanti _____ chiesa e poi, senza accorgersi che _____ ha toccato e messo le mani _____ bisacce, comincia a predicare. Alla fine _____ predica, apre la scatola, ma non _____ più la penna.

La scatola, invece, _____ piena di carboni. Frate Cipolla capisce _____ qualcuno ha voluto fargli uno scherzo _____, oramai, dovrà pensare a come spiegare _____ nella scatola ci sono i carboni _____ posto della penna.

9. Proverbi e modi di dire. Qual è il significato giusto?

1. *essere un asino*

   a. lavorare molto
   b. essere una persona ignorante
   c. avere le orecchie grandi

2. *lavare la testa all'asino*

   a. fare una cosa inutile
   b. rendere chiara un'idea
   c. lavare qualcosa molto male

3. *meglio un asino vivo che un dottore morto*

   a. il dottore che cura un asino non muore
   b. un asino ha più valore di un dottore
   c. è bene mantenere la giusta misura in tutto, anche nello studio

4. *essere un maiale*

   a. essere una persona grassa
   b. essere una persona volgare
   c. essere una persona stupida

5. *mangiare come un maiale*

   a. mangiare troppo
   b. mangiare tutto
   c. mangiare sempre

6. *essere un bue d'oro*

   a. essere un uomo molto importante
   b. essere un uomo ricco e ignorante
   c. essere un uomo interessante

7. *mettere il carro davanti ai buoi*

   a. parlare o fare cose senza senso ☐
   b. parlare o agire prima del momento giusto ☐
   c. parlare o agire in modo disordinato ☐

8. *uovo all'occhio di bue*

   a. uovo molto grande ☐
   b. uovo cotto al burro in tegame ☐
   c. omelette ☐

9. *moglie e buoi dei paesi tuoi*

   a. è meglio scegliere tra le persone o le cose
      che conosciamo ☐
   b. le mogli crescono meglio i buoi dei paesi tuoi ☐
   c. le mogli comprano i buoi dei paesi tuoi ☐

10. *essere la pecora nera*

    a. distinguersi per qualità negative ☐
    b. essere molto sporco ☐
    c. vestire sempre di nero ☐

11. *essere una pecora*

    a. essere una persona molto buona ☐
    b. passare il tempo senza far niente ☐
    c. fare sempre quello che fanno gli altri ☐

12. *chi pecora si fa, il lupo la mangia*

    a. al lupo piace mangiare le pecore ☐
    b. la pecora si cambia in lupo e lo mangia ☐
    c. la persona forte e violenta vince e distrugge la
       persona che si mostra debole e umile ☐

10. CRUCIPUZZLE.

Animali di campagna

Cerca nel *puzzle* i nomi degli animali elencati:

> *maiale, bue, asino, coniglio, pecora, gallina, cavallo, uccello, topo, tacchino, oca, gatto*

E	L	A	I	A	M	M	O	L	U	Z	C
U	U	D	G	S	S	T	L	C	H	A	O
B	A	B	C	A	I	E	C	L	V	B	N
C	E	P	O	M	R	E	I	A	F	E	I
D	O	H	P	G	L	Z	L	N	C	H	G
S	N	F	F	L	E	L	O	M	O	P	L
F	I	E	O	G	O	P	O	T	D	E	I
I	H	N	O	H	O	C	D	E	A	C	O
P	C	B	P	U	T	T	C	O	O	O	N
A	C	B	Q	E	T	O	R	A	V	R	I
A	A	R	S	I	A	P	E	C	C	A	S
N	T	L	M	A	G	A	L	L	I	N	A

Osservazioni

_____

_____

_____

_____

_____

_____

_____

_____

_____

_____

_____

_____

_____

_____

_____

_____

_____

_____

Osservazioni

Chiavi

Esercizio 1

Vero: 2, 3, 4, 5, 9, 10.   Falso: 1, 6, 7, 8, 11, 12, 13.

Esercizio 2

1. per raccogliere l'elemosina 2. è un uomo basso, con i capelli rossi, sempre allegro e di buona compagnia 3. vogliono fare uno scherzo a Frate Cipolla 4. perché ha visto una donna in cucina 5. per cercare certi documenti che riguardano l'ospedale di Porcellana 6. nel suo convento 7. deve togliersi il cappuccio 8. è quello dei carboni che non diventano mai piccoli anche se lui li usa per fare tante croci.

Esercizio 3

1. che/il quale 2. che/i quali 3. che/il quale 4. in cui/nelle quali 5. che/la quale 6. a cui/ai quali 7. tra cui/tra le quali 8. in cui/nel quale 9. in cui/nella quale. Nelle frasi 4, 8 e 9 è possibile usare anche l'avverbio *dove*.

Esercizio 4

1. in 2. in 3. a/da 4. da, al 5. a, in 6. da, a 7. In 8. in 9. a, in 10. a, da, alla.

Esercizio 5

disabituato; disadatto; disagevole; disarmato; disarmonico; disattento; scarico; dischiuso/schiuso; scomodo; sconosciuto; sconsigliato; scontento; scoperto; sconveniente; scorretto; scortese; scotto; scucito; disfatto/sfatto sgarbato; sgradevole; disilluso; disinteressato; sleale; disonesto; disordinato; spiacevole; spopolato; disuguale; svantaggioso.

Esercizio 6

Non c'è chiave perché le risposte sono libere.

Esercizio 7

1. avanti, indietro 2. davanti, dietro 3. indietro 4. avanti 5. indietro 6. dietro 7. davanti, dietro 8. avanti/indietro 9. indietro 10. avanti.

Esercizio 8

dormire; poiché; e; reliquie; quando; mette; comincia; aspetta; alla; qualcuno; nelle; della; trova; è; che; e; perché; al.

Esercizio 9

1.b 2.a 3.c 4.b 5.a 6.b 7.b 8.b 9.a 10.a 11.c 12.c.

Esercizio 10

E	L	A	I	A	M	M	O	L	U	Z	C
U	U	D	G	S	S	T	L	C	H	A	O
B	A	B	C	A	I	E	C	L	V	B	N
C	E	P	O	M	R	E	I	A	F	E	I
D	O	H	P	G	L	Z	L	N	C	H	G
S	N	F	F	L	E	L	O	M	O	P	L
F	I	E	O	G	O	P	O	T	D	E	I
I	H	N	O	H	O	C	D	E	A	C	O
P	C	B	P	U	T	T	C	O	O	O	N
A	C	B	Q	E	T	O	R	A	V	R	I
A	A	R	S	I	A	P	E	C	C	A	S
N	T	L	M	A	G	A	L	L	I	N	A

Finito di stampare nel mese di gennaio 2001
da Guerra guru s.r.l. - Via A. Manna, 25 - 06132 Perugia
Tel. +39 075 5289090 - Fax +39 075 5288244
E-mail: geinfo@guerra-edizioni.com

Titoli già pubblicati

L. da Vinci	*La Regola francescana*	(P)
G. Boccaccio	*Federigo e il suo falcone*	(E)
G. Boccaccio	*Frate Cipolla e la penna dell'arcangelo Gabriele*	(E)
G. Boccaccio	*Madonna Filippa - Melchisedech e il Saladino*	(E)
N. Machiavelli	*Belfagor*	(E)
G. B. Basile	*L'ignorante*	(I)
G. Gozzi	*La risposta della serva - Novella d'amore*	(I)
G. Verga	*Cavalleria rusticana*	(I)
L. Sciascia	*Il lungo viaggio*	(A)
E. De Amicis	*Dagli Appennini alle Ande*	(A)

In preparazione
S. Tamaro   *Va' dove ti porta il cuore*

Letture Graduate Per Stranieri

Collana diretta da *Maria Antonietta Covino Bisaccia*
docente presso l'Università per Stranieri di Perugia

Livelli:

Principianti - **Elementare** - Intermedio - Avanzato

La collana presenta letture graduate e adattate, tratte da opere della letteratura italiana.

Si articola in quattro livelli di apprendimento: principianti, elementare, intermedio e avanzato.

Ciascun testo è accompagnato da:

- *note a pie' di pagina* per facilitare la comprensione globale;

- *illustrazioni* per agevolare, anche visivamente, la lettura e la comprensione del testo;

- molteplici e varie *attività didattiche* per la revisione, il consolidamento e/o l'acquisizione delle strutture presenti nel testo, oltre che per l'arricchimento del vocabolario;

- segni grafici per indicare la sillaba su cui cade, in alcune parole, l'*accento tonico*;

- brevi *schede di civiltà* sull'autore e sull'opera;

- *chiavi degli esercizi* sia per l'utilizzo dei testi in classe sia per lo studio individuale.

€ 2.84

ISBN 88-7715-225-7

9 788877 152251

Covino - Francomacaro
**Frate Cipolla e la penna
dell'arcangelo Gabriele**
Guerra Edizioni